雪女の家
おけら山
おおかみ男の家
ひりひり滝
ぬるぬる池
かたかた橋
にこにこぷんぷんめそめその花畑
ぞくぞく劇場
美術館
ぞくぞく小学校

ぞくぞく村の

ドラキュラのむすこ

末吉暁子・作　垂石眞子・絵

ぱかぱか森《もり》のおく深《ふか》く。
空《そら》をツンツンつきさして、そびえているのは、ドラキュラのお城《しろ》です。

そのお城《しろ》の中《なか》の、だだっぴろい食堂《しょくどう》で、ある日《ひ》、ドラキュラは、
むすこのニンニンに言《い》いました。
「ニンニンや、お父《とう》さまは、明日《あす》から二日《ふつか》ばかり、この家《いえ》をるすに
するぞよ。」
「えーっ、どこへ行《い》くの、父《とう》ちゃん。」
「じつはな、急《きゅう》な話《はなし》だが、お見合《みあ》い
することになってな。」
ドラキュラは、ぐびりとひと口《くち》、
血《ち》を飲《の》んでから、言《い》いました。

トマト

「ブ、ブホッ！　お見合《みあ》い？」

ニンニンは、飲《の》みかけのトマトジュースを、ふきだしてしまいました。ええ、ニンニンはまだ子《こ》どもなので、血《ち》を飲《の》ませてもらえないのです。

「お見合《みあ》いの相手《あいて》は、カーミラさんといってな、赤毛《あかげ》のなかなかの美人《びじん》らしい。おまけに、飲《の》みものの趣味《しゅみ》が、わたしと同《おな》じ。つまり……。」

「血《ち》を飲《の》む？」

「そうそう。そういう女性《じょせい》には、ながーい吸血鬼人生《きゅうけつきじんせい》といえども、めったにめぐりあえるものじゃない。ルンルン。」

ドラキュラは、ごきげんで、グラスの血《ち》を飲《の》みほしました。

カーミラ
年令…… 251さい
しゅみ…墓石コレクション
好きな飲み物…… 血
冷凍
血液

そりゃ、まあ、ドラキュラもわかいころは、モテモテだったようですが、前《まえ》のおくさんとわかれてからは、ずうっと、女《おんな》っ気《け》なし。

そろそろ結婚《けっこん》したくなったとしても、むりはありません。

「父《とう》ちゃん、お見合《みあ》い、がんばってね。」

ニンニンは、ズビッとトマトジュースをすすって、言《い》いました。

「お父《とう》さまがるすのあいだ、いい子《こ》でおるすばんできるかな？」

ドラキュラに顔《かお》をのぞきこまれたニンニンは、むねをはってこたえました。

だいじょうぶ。ぼく、いい子《こ》でおるすばんしてるよ。
父《とう》ちゃんがいないあいだに、血《ち》を飲《の》んだりしないよ。
〝ベッドでぴょんぴょん〟も、〝まくらをブンブン〟も
しないよ。友《とも》だちよんで、らんちきパーティーを
やったりも、しないよ。

次《つぎ》の日《ひ》、半《はん》かけお月《つき》さまがお城《しろ》の塔《とう》にのぼるころ。

「じゃあ、行《い》ってくるぞよ。あさっての夜明《よあ》け前《まえ》には帰《かえ》るからな。」

ギンギンにおしゃれしたドラキュラは、御者《ぎょしゃ》のかえる男《おとこ》が待《ま》っている馬車《ばしゃ》にのりこむと、手《て》をふって出《で》かけていきました。

なんでも、お見合《みあ》いの場所《ばしょ》は、馬《ば》車《しゃ》でひと晩《ばん》じゅう走《はし》ったあたりにある墓場《はかば》なのだそうです。

「いってらっしゃあい、父《とう》ちゃん！」
馬車《ばしゃ》が、森《もり》の中《なか》の細《ほそ》い道《みち》をまがって見《み》えなくなると、ニンニンは、一しゅん、間《ま》をおいてから、ニンマリ。ダ、ダッと自分《じぶん》のへやへかけもどりました。
「ピュルピュル、ル〜〜〜。」
と、口笛《くちぶえ》をふきながら、家紋《かもん》いりのびんせんを取《と》りだすと、なにやら、ひっしで書《か》きはじめました。

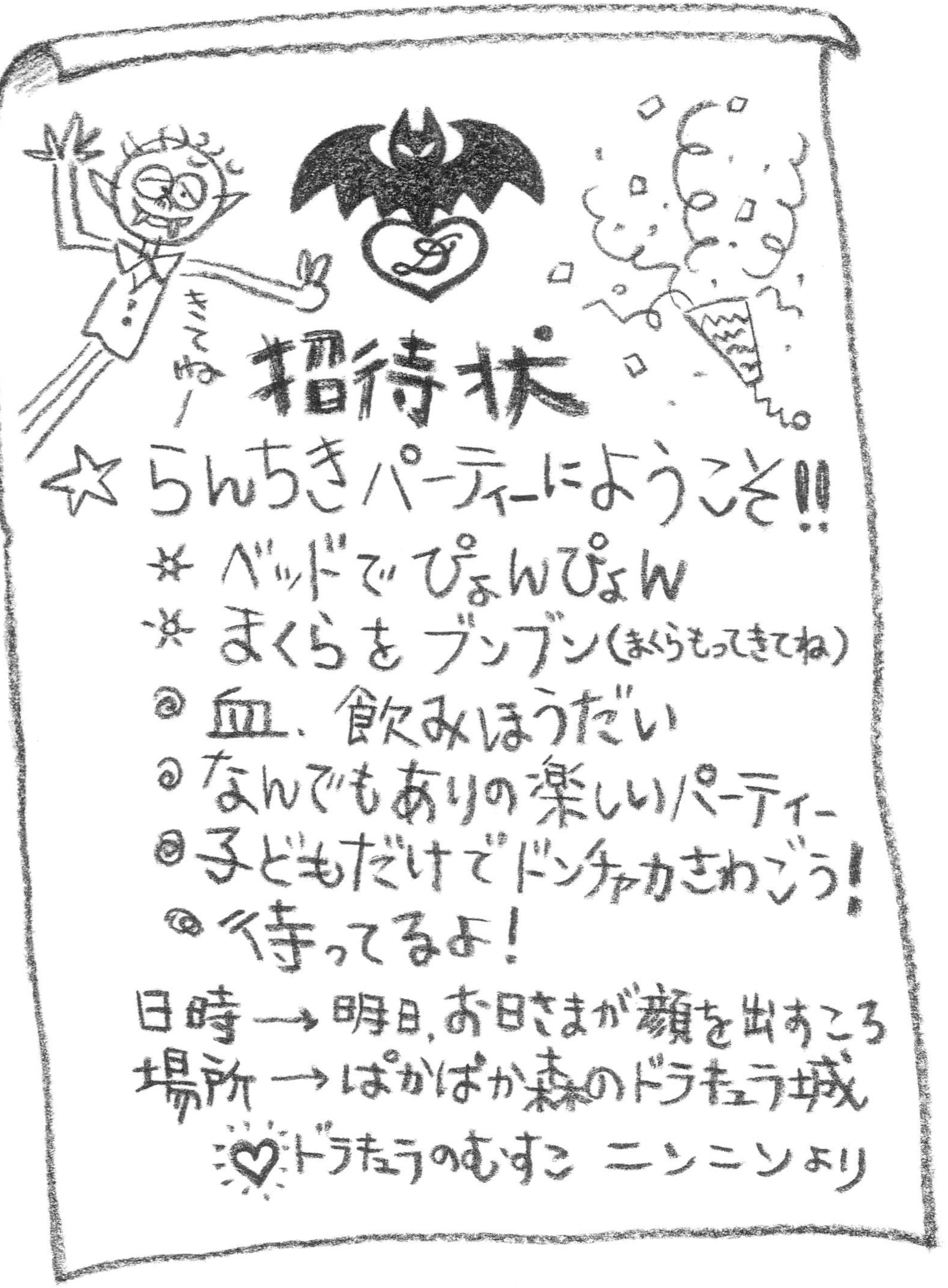
きてね〜
招待状
☆らんちきパーティーにようこそ!!
ベッドでぴょんぴょん
まくらをブンブン（まくらもってきてね）
血、飲みほうだい
なんでもありの楽しいパーティー
子どもだけでドンチャカさわごう!
待ってるよ!
日時→明日、お日さまが顔を出すころ
場所→ぱかぱか森のドラキュラ城
ドラキュラのむすこ ニンニンより

らんちきパーティーに来《き》てほしいのは、ちびっこおばけの三人組《さんにんぐみ》、グーちゃん、スーちゃん、ピーちゃんです。

そこで、ニンニンは、招待状《しょうたいじょう》を三まい書《か》きました。

「さっそくとどけてこよう。あのかわいいちびっこたち、来《き》てくれるかな。」

ニンニンは、三まいの招待状《しょうたいじょう》を、マントの内《うち》ポケットにいれると、自転車《じてんしゃ》に飛《と》びのって走《はし》りだしました。

　ひそひそ川《がわ》のほとりを、ギコギコギコ。
　お月《つき》さまのかけらをうかべたひそひそ川《がわ》は、ヒソヒソヒソと、ないしょ話《ばなし》をしているような音《おと》をたてて、流《なが》れていきます。
　おばけかぼちゃ畑《ばたけ》を右《みぎ》に見《み》て、しばらく走《はし》ると、わかれ道《みち》です。ニンニンは、グイーンと右《みぎ》にまがりました。

ヒュイーンと風《かぜ》がふいてきて、マントがこうもりのつばさのように、はためきます。
すると、おやおや、招待状《しょうたいじょう》が二まい、内《うち》ポケットから飛《と》びだしました。そして、ひらりひらりと風《かぜ》にのって、どこかへ飛《と》んでいってしまいました。
ニンニンは、まるっきり気《き》がつきません。

もじゃもじゃ原《はら》っぱにつきました。

ここは、ちびっこおばけたちの遊《あそ》び場《ば》で、原《はら》っぱのはずれの木《き》の上《うえ》に、ちびっこたちの家《いえ》があります。

「グーちゃん！　スーちゃん！　ピーちゃん！　いるかーい？」

ニンニンは、自転車《じてんしゃ》からおりて、もじゃもじゃの草《くさ》の上《うえ》を歩《ある》きだしました。

とたんに……。

落《お》としあなに、おっこちてしまいました。

「わあっ！　なんにも見《み》えない！　ここはどこ？　ぼくはだれ？」

と、とつぜん、マントがめくれて、

「グー！」

「スー！」

「ピー！」

「バアアアア！」

と、三つの顔《かお》がのぞきこみました。

「わあい、わあい！」

「ひっかかった、ひっかかかった！」

「ニンニンが、落《お》としあなにおっこちた！」

ちびっこたちは、大《おお》わらいしながら、ニンニンをひっぱりあげてくれました。

「ところで、」

「なにか、」

「ご用《よう》なの?」


ちびっこたちにきかれたニンニンは、マントの内《うち》ポケットに手《て》をいれました。

「あれ？　一まいしかないい！

うちで、らんちきパーティーをしようと
思《おも》って、招待状《しょうたいじょう》を持《も》ってきたのに！」

「わおっ！　とんちきパーティーだって！」

「ちがうわよ。こんちきパーティーよ。」

「ちがうわよ。いんちきパーティーよ。」

「ちがうったら！　らんちきパーティーだよ。」

「らんちきパーティーって、　なあに？」

「くわしいことは、この招待状《しょうたいじょう》に書《か》いてあるよ。来《き》てくれる？」

「なんだかわかーんないけど、楽《たの》しそう。」

「もっちろん、バッチリ！」

「行《い》く、行《い》く、行《い》く！」

「よかった！　じゃ、待《ま》ってるね。バーイ。」

ニンニンは、自転車《じてんしゃ》にのってひきかえしました。

とちゅう、ちょっとより道《みち》をして、べろべろの木《き》のところにやってくると、手《て》をのばして、べろべろの実《み》をいっぱい、もぎとりました。

おばけかぼちゃも、いくつか、かってにいただいて帰《かえ》りました。

「さあ、パーティーのじゅんびをしなくちゃ。」
ニンニンは、ダダダッと地下室《ちかしつ》にかけおりました。
ギ、ギ、ギ〜〜〜ッと、巨大《きょだい》な冷凍庫《れいとうこ》のとびらを開《あ》けると、つめたい霧《きり》がサーッと出《で》てきて、
「ううーっ、さむい！」

中《なか》には、霜《しも》をかぶったびんが、ドジャーン！　ズラリ！　とならんでいます。

びんの中身《なかみ》は、ぜーんぶ冷凍血液《れいとうけつえき》。

そう、これこそ、ドラキュラの大好《だいす》きな飲《の》みものなのです。

ニンニンは、びんを何本《なんぼん》か取《と》りだすと、いそいで、とびらをしめました。ぐずぐずしていると、ニンニンの血《ち》まで、こおりそう。

「パーティーがはじまるころには、ちょうど飲《の》みごろになってるだろうな。楽《たの》しみ、楽《たの》しみ。」

それからニンニンは、おばけかぼちゃをくりぬいて、中《なか》にろうそくをともすと、

うす暗《ぐら》いドラキュラ城《じょう》の、

ベッドルームや、食堂《しょくどう》や、

塔《とう》の屋根《やね》うらべやに

おいて歩《ある》きました。

べろべろの実《み》のべろは
ひっこぬいて、お城《しろ》のあち
こちに、まいておきました。
べろべろの実《み》は、とてもおいしい
のですが、べろには毒《どく》があって、
さわるとしびれます。ふんづけると、
つるんとすべって、ころびます。
「こうしておけば、みんな、ステン、ステン！
すべって大《おお》さわぎだぞ！　くくくっ！」
ちびっこおばけたちには、足《あし》がないのもわすれて、
ニンニンは、にやにやしています。

そろそろ、冷凍血液《れいとうけつえき》も、とけてきたころです。

ニンニンは、大《おお》きなパンチボールに、ドボドボドボッと、血《ち》をいれました。

その中《なか》に、うすく切《き》ったべろべろの実《み》をいれると、おいしそうなフルーツパンチのできあがり！

「ようし、じゅんびかんりょう。あとは、ちびっこおばけたちを待《ま》つばかり！」

ニンニンは、いちばんいい服《ふく》に着《き》がえました。かみの毛《け》もていねいにとかし、二本《ほん》のきばも、キュッキュとみがき、かがみにむかって、ニターッ。

あ、ついでに言《い》っておくと、お父《とう》さんのドラキュラは、かがみにうつらないのですが、ニンニンは、まだ子《こ》どもなので、うつります。

やがて、お城《しろ》の塔《とう》の向《む》こうの空《そら》が明《あか》るくなるころ……。

グアーン、グアーン、グアーン！

げんかんのドラが鳴《な》りひびきました。

「おっ、来《き》た、来《き》た！　お客《きゃく》さまが！」

ニンニンは、ドドドッとかいだんをかけおりるとちゅう、みごとに、べろべろの実《み》のべろをふんづけて、スッテーン！　ド、ド、ド、ゴロンゴロンゴロンと、げんかんまでころがっていきました。

「いててて、て！　いらっしゃあい！」

ドアの前《まえ》で、ニッカニッカわらっているのは、三人《にん》のちびっこおばけたちです。

「おはよう、ニンニン。今日《きょう》は、おまねきありがとう。はい、これ。おばけかぼちゃのたねよ。」

グーちゃんが、ふくろいっぱいのたねをさしだすと、

「あたしは、べろべろの実《み》のシチューを作《つく》ってきたのよ。」

スーちゃんは、大《おお》きなおなべを見《み》せました。

「あたしは、もじゃもじゃサラダを作《つく》ってきたわ。」

ピーちゃんも、大《おお》きなサラダボールをさしだしました。

「わあ、ありがとう。さあ、どうぞ。」

と、大《おお》きくドアを開《あ》けたニンニンは、ギクッ！

なんとまあ、ちびっこたちのうしろの方《ほう》に、魔女《まじょ》のオバタンの使《つか》い魔《ま》の、ねこのアカトラ、こうもりのバッサリ、ひきがえるのイボイボ、とかげのペロリが、それぞれ、まくらをこわきにかかえて、はにかみわらいをしているではありませんか。

しかもですよ。

森《もり》の中《なか》の小道《こみち》から、ぞろぞろ、ぞろぞろ、はいずりながら、やってくるのは、

「ゴブリンさんとこの七つ子《ご》だ！」

よく見《み》れば、先頭《せんとう》のリンリンが、口《くち》にくわえているのは、ニンニンの書《か》いた招待状《しょうたいじょう》！

「そうか！　どっかへなくなった招待状《しょうたいじょう》は、リンリンがひろったのか。あの子《こ》は、赤《あか》んぼうのくせに、ふしぎな力《ちから》があるから、みんなをつれてきたんだ。そうすると、もう一まいの招待状《しょうたいじょう》は……」。

ニンニンは、オバタンの四ひきの使《つか》い魔《ま》たちを見《み》ました。

「オバタンが大《おお》なべにのって飛《と》ぶ練習《れんしゅう》をしたあとね、立《た》ちあがったら、おしりにはりついてた招待状《しょうたいじょう》が、ハラリと落《お》ちたの」。

ねこのアカトラが言《い》いました。

「そうか！　じゃ、もう一まいの招待状《しょうたいじょう》は、風《かぜ》にのって、ぐずぐず

谷《だに》まで飛《と》んでって、オバタンの大《おお》なべの中《なか》に落《お》ちたんだ。」
ニンニンは、ようやくわけがわかりました。
「だから、ぼくたち、ないしょでね、オバタンが
ねてから、こっそりやってきたの。」
ひきがえるのイボイボも、ぴょんぴょん
はねながら、言《い》いました。
「わ、わかった！　じゃ、みんな
おはいりよ。今日《きょう》はだあれも
いないから、なにやったって、
だいじょうぶ。昼間《ひるま》じゅうねないで、
らんちきパーティーだ！」

「わあい、わあい、らんちきパーティーだ！」
まっさきに、みんなの足《あし》もとをぬって、ピューッと中《なか》にはいりこんだのは、七つ子《ご》の赤《あか》ちゃんのヌラリンちゃん。つづいて、クラリンちゃん。
この二人《ふたり》は、あっという間《ま》に、かいだんをはいはいでのぼっていって、どこかへ見《み》えなくなってしまいました。
それから、あとの四人《にん》の赤《あか》ちゃんがつづき、最後《さいご》にリンリンが、大《おお》きな耳《みみ》をぴくぴく動《うご》かしながら、中《なか》にはいっていきました。

ニンニンが、最後《さいご》にげんかんのドアをしめたときには、赤《あか》ちゃんたちは、どこへ行《い》ってしまったのか、もう、かげも形《かたち》もありません。

「赤《あか》ちゃんたち、つれもどさなくちゃ。」

ニンニンは、大《おお》あわてでおいかけようとしたのですが、

「だいじょうぶよ。あの子《こ》たちは、ほっといても。」

「ニンニンに、つかまるような子《こ》たちじゃないわ。」

「さあ、早《はや》く、パーティー、パーティー。」

ちびっこおばけたちにせかされて、みんなを、食堂《しょくどう》にあんないしました。

「さあ、父《とう》ちゃんのとっておきの血《ち》、飲《の》みほうだいだよ。いくらでもおかわりしてね。」

ニンニンは、大《おお》きなパンチボールから、血《ち》いりのフルーツパンチを、グラスについであげました。

「かんぱい！」

みんなで、カチン、カチン、と グラスを軽《かる》くぶつけたあと、そうっと口《くち》にはこびます。

血《ち》を飲《の》むのは、
全員《ぜんいん》、生《う》まれて
はじめてです。
シンとした中《なか》に、
みんなの血《ち》を飲《の》む
音《おと》だけが、
「ペロッ！」
「グビリ！」
「ズズッ！」
と、ひびきました。

とたんに、ニンニン以外《いがい》の全員《ぜんいん》が、

「オエーッ！」

「ペッペッ！」

「マズーイ！」

と、さけび、二度《ど》と飲《の》もうとしませんでした。

ニンニンだけは、一気《いっき》にガーッと飲《の》みほすと、

「うっ、キョーレツ！」

頭《あたま》の中《なか》がまっ白《しろ》になり、心臓《しんぞう》だけが火《ひ》だるまになって、もえだしました。

そのうち、ちびっこおばけたちが、六人《にん》にも九人《にん》にも見《み》えてきて、ぐるぐるまわりはじめました。

ちびっこおばけたちや、
四ひきの使《つか》い魔《ま》たちは、
フルーツパンチにういて
いる、べろべろの実《み》だけを
すくって食《た》べました。
おばけかぼちゃのたねや、
べろべろの実《み》のシチューや、
もじゃもじゃサラダも
食《た》べました。
おなかがいっぱいになった
ので、ちびっこおばけたちは、

持《も》ってきた楽器《がっき》を取《と》りだして、
とくいの演奏《えんそう》をはじめました。

グーちゃんは、ほねとほねで、

「カシャ、カシャ、カシャ！」

スーちゃんは大《おお》きなくさりを
「ガチャ、ガチャ、ガチャ！」

ピーちゃんはガラスとくぎで、

「キー、キー、キー！」

ふと、見《み》ると、ニンニンのようすがへんです。ユラーリ、ユラーリ、海《かい》そうみたいにゆれながら、ときどき、口《くち》から火《ひ》をふいているではありませんか。

「ニンニン、だいじょうぶ？」

ちびっこたちが、かけよると、

「だ……い……じょう……ぶ……じゃ……ない！」

ニンニンがしゃべることばも、火《ひ》につつまれています。

「どうしよう……ぐすん。」

グーちゃんは、なきべそをかき、

「血《ち》なんか、イッキ飲《の》みするからよ。」

スーちゃんは、ぷりぷりして言《い》いました。

「そうだ！　うちのおじいさんは、あたしたちが熱《ねつ》を出《だ》すと、もじゃもじゃの葉《は》っぱを食《た》べさせるわ。」

ピーちゃんが、言《い》いました。

「そうそう。魔女《まじょ》のオバタンも、もじゃもじゃの葉《は》っぱを薬草《やくそう》に使《つか》ってるよ。」

使《つか》い魔《ま》たちも言《い》いました。

そこで、みんなで、ニンニンの口《くち》の中《なか》に、のこっていたもじゃもじゃサラダをほうりこみました。

クチャクチャ、クチャクチャ……。

もぐもぐ、もぐもぐ……。

牛《うし》みたいに長《なが》いことかかって、もじゃもじゃの葉《は》っぱを食《た》べていたニンニンは、とつぜん、シャキッとして言《い》いました。

「こんどは、ベッドでぴょんぴょん！　まくらをブンブンだ！」

ドラキュラの家《いえ》のベッドルームには、かんおけが二つ。

「こっちのひょろながーいかんおけが、ぼくのベッドね。」

そういって、ニンニンが、かんおけのふたを開《あ》けると、いつの間《ま》に、はいっていたのでしょう、クラリンが、

「バーッ。」

と、飛《と》びだして、また、どこかへ行《い》ってしまいました。

この子《こ》は、かくれんぼの名人《めいじん》なのです。

S

みんなは、ベッドからベッドへ、ぴょんぴょん、はねとんだり、
まくらをブンブン、ぶんなげて、ぶつけっこしたり……。
まくらの中《なか》の羽根《はね》や、わたや、かれ葉《は》や、そばがらが飛《と》びちって、
へやの中《なか》は、しっちゃかめっちゃか。
ふだん静《しず》かでかびくさいドラキュラ城《じょう》は、うってかわった大《おお》そう
どうです。

「おもしろいなあ。これこそ、ぼくがいっぺん、やってみたかったことなんだ！」

ニンニンが、大《だい》かんげきして言《い》うと、

「もっとおもしろいゲームがあるのよ。」

グーちゃんが言《い》いました。

「さあ、みんな輪《わ》になって、すわって！」

スーちゃんが言《い》いました。

みんなが言《い》われたとおりにすると、

「はじめるわよ！」

ピーちゃんが、おばけかぼちゃの明《あ》かりを消《け》して、カーテンをしめました。

へやの中《なか》は、ニンニンのマントをかぶったように、まっくらくらになりました。

ニンニンと、四ひきの使《つか》い魔《ま》たちは、だんだんこわくなってきて、ドキドキしながら、なにかがはじまるのを待《ま》っていました。

ふいに、くらやみの中《なか》から、ちびっこおばけたちのぶきみな声《こえ》がひびいてきました。

「あたしたちは……さっき……太《ふと》った……魔女《まじょ》を……ころしてきたのだ……。」

これを聞《き》いた四ひきの使《つか》い魔《ま》たちは、そろって、

「ひゃっ！」

と、とびあがりました。

が、みんなに
「シーッ！」

と言《い》われて、また、くっついてすわりました。

「……魔女《まじょ》はころされた。これが、魔女《まじょ》の目玉《めだま》だ！」

声《こえ》といっしょに、手《て》から手《て》へわたってきたのは、
二つの丸《まる》い玉《たま》です。

「わっ、オバタンの目玉《めだま》だ！」

アカトラもイボイボも、ペロリもバッサリも、
ゾーッとしながら、
次《つぎ》の人《ひと》にわたしました。

「……これが、魔女《まじょ》の歯《は》だ！」

声《こえ》といっしょにわたってきたのは、ぬけた歯《は》が何本《なんぼん》か。

「ぎえっ、オバタンの歯《は》だ！」

使《つか》い魔《ま》たちは、ブルブルふるえだしました。

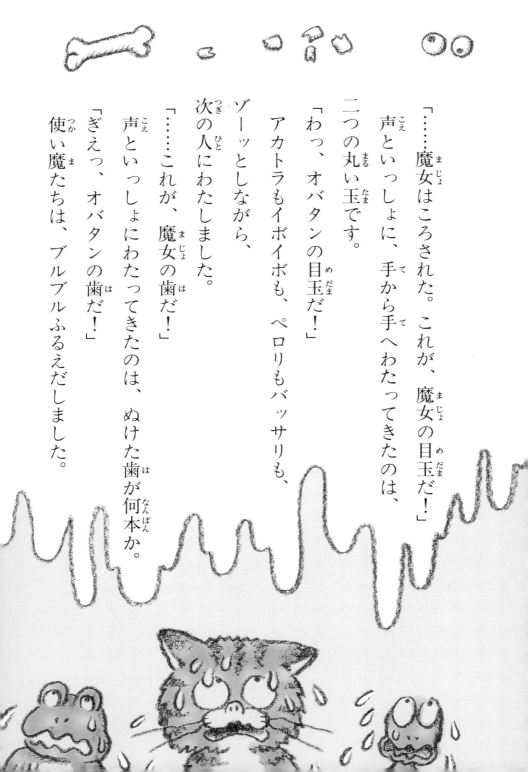

「……これが、魔女《まじょ》のほねだ！」

声《こえ》といっしょにわたってきたのは、足《あし》のほね。

太《ふと》さからいっても、オバタンのほねにちがいありません。

「わあーん！　オバタンが死《し》んじゃったあ。」

とうとう、四ひきの使《つか》い魔《ま》たちは、だきあって、なきだしました。

「ひゃっ、ひゃっ、ひゃっ!」

「くわっ、くわっ、くわっ!」

「けーっけっけっけ!」

ちびっこおばけたちが、高《たか》わらいをしたときでした。

グアッシャーン! バリバリバリ、ドッスーン!

ものすごい音《おと》がして、まどガラスをやぶって飛《と》びこんできたのは、大《おお》きなおなべ! その大《おお》なべの中《なか》から、すっくと立《た》ちあがったのは、魔女《まじょ》のオバタンです。

「こらあっ! おまえたち。あたしにないしょで、らんちきパーティーに来《こ》ようったって、そうはさせないぞ!」

手《て》にした招待状《しょうたいじょう》をふりまわして、どなりちらしました。

「ああっ、オバタン!」
「死《し》んだんじゃ、なかったの?」

「なんだとォ？」

オバタンにギロリとにらまれて、ペロリはアカトラのうしろに、かくれてしまいました。

「だって、今《いま》、オバタンの目玉《めだま》や歯《は》やほねが……」。

使《つか》い魔《ま》たちは、キョトンとして、明《あか》るくなったへやの中《なか》を見《み》まわしました。

ゆかにころがっていたのは、二つのビー玉《だま》と、とうもろこしのつぶつぶと、太《ふと》いかれえだ。

「なあんだ。そうだったのか……」。

四ひきの使《つか》い魔《ま》たちは、へたへたと、こしをぬかしてしまいました。

そのとき、げんかんのドラが、グアン、グアン、グアーン！　と鳴《な》って、やってきたのは、小鬼《こおに》のゴブリンさんとおかみさんです。

「うちの七つ子《ご》たちが、来《き》てないかい？」

「今《いま》、起《お》きたら、ベッドの中《なか》は、もぬけのから。まあ、びっくりしたわよ。」

二人《ふたり》は大《おお》あわてでやってきたらしく、ねまきのままです。

「おしゃれおばけのおじいさんにきいたら、今日《きょう》はこちらで子《こ》どもだけのパーティーがあるっていうんでね。」

「もしやと思《おも》って、来《き》てみたのよ。」

ニンニンは、ホッとして、二人《ふたり》に中《なか》にはいってもらいました。

さすが、七つ子《ご》の親《おや》だけあって、赤《あか》ちゃんたちをさがしだすのも、なれたもの。ニンニンのまいたべろべろの実《み》のべろをふんづけて、ステンステン、すべりながらも、たちまち、赤《あか》ちゃんたちをつかまえました。
食堂《しょくどう》のテーブルの上《うえ》にのぼって、そのへんのものをパクパク食《た》べていた、パクリンとコロリンを。

おふろばではだかんぼになって
遊《あそ》んでいたベロリンとチクリンを。

大広間《おおひろま》で、ご先祖《せんぞ》
さまの肖像画《しょうぞうが》と話《はなし》を
していたリンリンを。

かいだんをにげまわる
ヌラリンは、塔《とう》のてっぺ
んに追《お》いつめて。

最後《さいご》まで見《み》つからなかった
クラリンは、ろうかにならんだ
よろいかぶとの中《なか》にかくれて
いるのを、さがしだしました。

ゴブリンさんとおかみさんが、七つ子《ご》の赤《あか》ちゃんたちをつれて帰《かえ》ると、お城《しろ》の中《なか》は、少《すこ》し静《しず》かになりました。

「さよなら。」

「楽《たの》しかったわ。」

「また、よんでね。」

ちびっこおばけたちも手《て》をふって、ふわん、ふわんと帰《かえ》っていきました。

のこったのは、オバタンと四ひきの使《つか》い魔《ま》たちです。

「せっかく、はるばる、大《おお》なべにのってやってきたんだからね。あたしゃ、しばらくここで遊《あそ》ばせてもらうよ。」

そういうオバタンにつきあって、ニンニンと四ひきの使《つか》い魔《ま》たちは、もういちど、まくらブンブンや、ベッドでぴょんぴょんをやりなおしました。

「わっはっは！　こりゃおもしろいや。もっとやろう！　もっとやろう！」

オバタンは、ひとりでよろこんでいますが、ほかのみんなは、どうもさっきほどおもしろくありません。でも、オバタンがおっかないので、せいいっぱい、おもしろそうなふりをしていました。

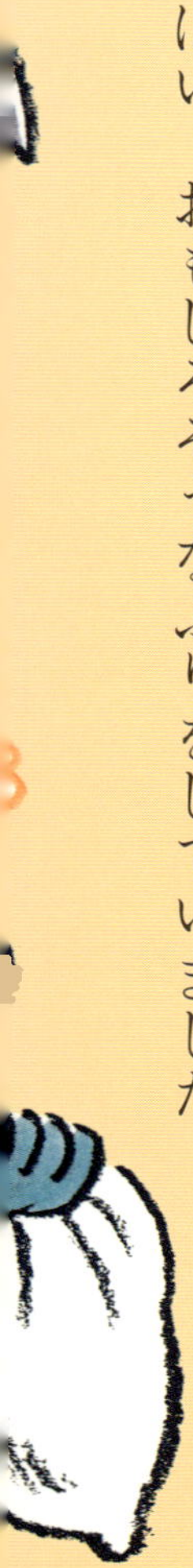

さんざん遊《あそ》んで、さすがのオバタンもくたびれたのか、四ひきの使《つか》い魔《ま》を大《おお》なべにのせて、帰《かえ》っていきました。

ニンニンも、ぐったりくたびれました。

「たいへんだ！　いつの間《ま》にか夜《よる》になってて、また、もうすぐ夜《よ》が明《あ》ける。父《とう》ちゃんが帰《かえ》ってきちゃう！」

ニンニンは、お城《しろ》の中《なか》をかけずりまわって、あとかたづけです。飲《の》みのこした血《ち》は、もとのびんにいれて、しらんぷりして冷凍庫《れいとうこ》にもどしておきました。

そうして、お城《しろ》にドラキュラの馬車《ばしゃ》がもどってきたときには、ニンニンは、間《かん》いっぱつ、かんおけのベッドにもぐりこんでいました。
あれあれ、馬車《ばしゃ》からおりたドラキュラは、しょぼんとかたを落《お》としています。
どうやら、お見合《みあ》いはうまくいかなかったようですね。

しょぼしょぼと、ベッドルームにやってきたドラキュラは、ねたふりをしているニンニンに、そっと話《はな》しかけました。

「ただいま。ニンニンや。さみしかったろうね。……お父《とう》さまは今《いま》までどおり、おまえと二人《ふたり》だけでやっていくよ。……早《はや》くおとなにおなり。おまえといっしょに血《ち》を飲《の》む日《ひ》が来《く》るのを、楽《たの》しみにしているよ。」

ドラキュラは、ニンニンのおでこにチュッとキスすると、となりのかんおけにたおれこみ、たちまち、グガーッといびきをかきはじめました。

ニンニンは、そっとかた目《め》を開《あ》け、

「お休《やす》み、父《とう》ちゃん……。」

とつぶやくと、こんどこそほんとうにねむりの世界《せかい》にひきこまれていきました。

★美容《びよう》と健康《けんこう》に、もじゃもじゃサラダを一日一皿《いちにちひとさら》！

ぞくぞく村《むら》だより⑥号《ごう》

ドラキュラ親子監修《おやこかんしゅう》

吸血鬼特集《ドラキュラとくしゅう》

◆発行所《はっこうじょ》◆
ぞくぞく村《むら》広報室《こうほうしつ》

✕カフェテリア「のっぺらぼう」に新《しん》メニュー登場《とうじょう》！

★おたよりください◆あてさき◆東京都千代田区西神田三―二―一あかね書房「ぞくぞく村」係

カーミラさんとのお見合《みあ》いは、ざんねんながら、うまくいかなかったよ。原因《げんいん》は次《つぎ》のうちのどれだと思《おも》う？（ドラキュラ）

① ドラキュラが入《い》れ歯《ば》だということが、ばれてしまったから。

② カーミラさんに、血《ち》をすわれそうになったから。

③ ドラキュラが、カーミラさんの、ほんとうのすがたを見《み》てしまったから。

（答《こた》えは下《した》）

おしらせ

ただいま、ぞくぞく劇場《げきじょう》では、**ダムダム・ファミリー10**を上映中《じょうえいちゅう》。

ゆかいな妖怪《ようかい》一家《か》のドタバタ喜劇《きげき》です。おみのがしなく。

質《しつ》問《もん》コーナー

Q. ぞくぞく小学校《しょうがっこう》の先生《せんせい》は、だれですか？

A. ぞくぞく小学校《しょうがっこう》では、ぞくぞく村《むら》のおとなが、かわるがわる先生《せんせい》になって、とくいの科目《かもく》をおしえます。生徒《せいと》はだれでも、すきなときに、すきな科目《かもく》だけ選《えら》んで勉強《べんきょう》すればいいのですよ。

おおかみ男《おとこ》……りか

がいこつ男《おとこ》のガチャさん……こくご（とくに作詩《さくし》）

妖精《ようせい》のレロレロ……たいいく（とくにエアロビクス）

おしゃれおばけのおじいさん……おんがく

ミイラのラムさん……しゃかい（とくに世界史《せかいし》）

魔女《まじょ》のオバタン……かていか（とくに薬草料理《やくそうりょうり》）

ドラキュラ……ずこう

ゴブリン……さんすう

答《こた》え——①②③ぜんぶ

作者　**末吉暁子**（すえよし　あきこ）
神奈川県生まれ。児童図書の編集者を経て、創作活動に入る。『星に帰った少女』（偕成社）で日本児童文学者協会新人賞、日本児童文芸家協会新人賞受賞。『ママの黄色い子象』（講談社）で野間児童文芸賞、『雨ふり花さいた』（偕成社）で小学館児童出版文化賞、『赤い髪のミウ』（講談社）で産経児童出版文化賞フジテレビ賞受賞。長編ファンタジーに『波のそこにも』（偕成社）が、シリーズ作品に「きょうりゅうほねほねくん」「くいしんぼうチップ」（共にあかね書房）など多数がある。垂石さんとの絵本に『とうさんねこのたんじょうび』（ＢＬ出版）がある。2016年没。

画家　**垂石眞子**（たるいし　まこ）
神奈川県生まれ。多摩美術大学卒業。絵本に『ライオンとぼく』（偕成社）、『おかあさんのおべんとう』（童心社）、『もりのふゆじたく』『きのみのケーキ』『あたたかいおくりもの』『あいうえおおきなだいふくだ』『あついあつい』（以上福音館書店）、『メガネをかけたら』（小学館）、『わすれたって、いいんだよ』（光村教育図書）、『けんぽうのえほん　あなたこそたからもの』（大月書店）などがある。挿絵の作品に『かわいいこねこをもらってください』（ポプラ社）など多数。
日本児童出版美術家連盟会員。
垂石眞子ホームページ
http://www.taruishi-mako.com/

ぞくぞく村のおばけシリーズ⑥　**ぞくぞく村のドラキュラのむすこ**

発　行＊1994年３月第１刷　2021年３月第41刷　NDC913　79p　22cm
作　者＊**末吉暁子**　画　家＊**垂石眞子**
発行者＊岡本光晴
発行所＊**あかね書房**　〒101-0065　東京都千代田区西神田３－２－１／TEL 03－3263－0641㈹
印刷所＊錦明印刷㈱　写植所＊㈲千代田写植　製本所＊㈱難波製本

ISBN978-4-251-03676-6

ぞく村
雨ぼうずの家
びよびよ丘
おしゃれおばけの家
オバタンの家
もじゃもじゃ原っぱ
ミイラのラムさん
ブろブろの木
ゴブリンの家
とんとん橋
おばけかぼちゃ畑
吸血鬼の家
ぱかぱか森
ひゃひゃ川